KB103159

성 호세마리아 에스크리바의
강론집

영원한 사제

이 세상을 열정적으로 사랑하며

영원한 사제
이 세상을 열정적으로 사랑하며

교회 인가 | 2024년 2월 23일
발행 | 2024년 6월 27일
저자 | 성 호세마리아 에스크리바
옮긴이 | 반유성
편집 및 표지 디자인 | 반유성
펴낸이 | 한건희
펴낸곳 | 주식회사 부크크
출판사등록 | 2014.07.15 (제2014-16호)
주소 | 서울특별시 금천구 가산디지털1로 119 SK트윈타워 A동 305호
전화 | 1670-8316
이메일 | info@bookk.co.kr
ISBN | 979-11-410-9162-0
www.bookk.co.kr

이 도서의 국립중앙도서관 출판 예정 도서목록은 서지정보 유통지원
시스템 홈페이지와 국가자료 공동목록 시스템에서 이용할 수
있습니다.

성 호세마리아 에스크리바의 강론집

영원한 사제

이 세상을 열정적으로 사랑하며

목차

서문

'영원한 사제' 강론은 가톨릭 성직자의 본성과 필요성, 존엄성, 미사와의 관계, 그리고 교회 안에서 성직자와 평신도의 관계에 대해 깊이 생각합니다. 원래 이 강론은 성인이 선종하기 전에 따로 출간되었으며, 1985년에 '교회를 사랑하다'라는 스페인어 제목으로 재편집되어 선보이기도 했습니다.

이 권의 한국어 번역판에는 '에스크리바 몬시뇰과의 대화'라는 책에 들어 있는 성인의 강론 '이 세상을 열정적으로 사랑하며'의 개정 번역본이 추가되었습니다. 1967년 나바라 대학교 캠퍼스에서 설교한 이 유명한 강론이 한데 묶여 원래 1968년 출간되었습니다.

"영원한 사제"

1973년 4월 13일, 수난 금요일(전 "복되신 동정 마리아의 일곱 가지 통고 기념일")에 드리는 강론

며칠 전 미사를 거행하던 중 잠시 멈춰서 시편의 한 구절을 묵상했습니다. 전례에서는 이 구절을 영성체송에 넣었습니다. "주님은 나의 목자, 나는 아쉬울 것 없어라"[1]. 이 영성체송은 다른 시편의 구절을 떠올리게 했습니다. 이 두 번째 시편은 예전에 삭발식 예식에서 낭송되었습니다: "제가 받을 몫이며 제가 마실 잔이신 주님…"[2] 그리스도께서는 친히 사제들의 손에 자신을 맡기십니다. 따라서 그들은 "하느님의 신비를 맡은 관리인"이 됩니다.[3]

---

[1] 시편 23,1; 사순 시기의 4째 주 토요일의 영성체송.

[2] 시편 16,5.

[3] 1 코린 4,1.

다가오는 여름에는 약 50명의 오푸스데이 일원들이 사제품을 받게 됩니다. 1944년부터 오푸스데이의 일부 일원들은 사제품을 받아왔으며, 이는 교회에 대한 은총과 봉사의 현실로 전해졌습니다. 그럼에도 불구하고 매년 서로 놀라워하는 사람들이 있습니다. 그들은 스스로에게 다음과 같은 질문을 던집니다. 성공과 약속으로 가득 찬 삶을 사는 서른, 마흔, 쉰 명의 남성이 어떻게 사제가 될 수 있을까요? 저는 오늘 몇 가지 사항을 말씀드리고자 합니다. 제가 말씀드릴 내용이 아까 언급한 분들을 더 놀라게 할 수도 있다는 것도 잘 알고 있습니다.

왜 사제인가요?

사제품을 받을 이 오푸스데이 일원들은 의사, 변호사, 엔지니어, 건축가 등 다양한 직업 분야에서 귀중한 경험과 때로는 장기간의 경험을 가지고 있습니다. 그분들은 그 경험을 바탕으로 사회적 영역에서 그 경험과 관련된 전문 직책을 가지실 수 있는 분들입니다.

그분들은 사제 서품을 받아 봉사하게 될 것입니다. 그분들은 명령하거나 높은 자리에 앉기 위해 수품된 것이 아니라, 끊임없이 묵묵히 모든 영혼을 섬기는 데 자신을 바치도록 사제가 될 것입니다. 그분들은 사제가 되기 전에 사회에서 쌓았던 경험들 덕분에 영원히 평신도 정신을 유지할 수 있을 것입니다. 그분들은 지금까지의 경험 덕분에 평신도의 직업과 일을 잘 이해하고 있지만, 사제로서 그 직업을 계속하고 싶은 유혹에 빠지지 않을 것입니다.

역사, 자연 과학, 심리학, 법학, 사회학 등 인문 지식의 다양한 분야에 대한 그들의 능력은 평신도 정신의 일부입니다. 그러나 이러한 능력으로 인해 심리학자-사제, 생물학자-사제 또는 사회학자-사제로 자신을 보여주고 싶지는 않을 것입니다.

그분들은 100% 사제, 즉 "진짜 사제"가 되기 위해 사제품을 받습니다.

그분들은 아마도 많은 일반인보다 현세적이고 인간적인 문제에 대해 더 많이 이해하고 있을 것입니다. 그러나 그분들은 성직자이기 때문에 끊임없는 기도로 자신을 계속 단련하고, 오직 하느님에 대해서만 말하고, 복음을 전하고, 성사를 거행하기 위해 기꺼이 이 세속적인 능력에는 침묵합니다. 그분들의 새로운 임무는 신학을 지속해서 연구하고, 많은 영혼을 영적으로 인도하며, 다수의 고해성사를 듣고, 지치지 않고 설교하고, 항상 감실에 마음을 고정하며 많은 기도를 하는 것입니다. 감실 안에서는 그분들을 자신의 소유로 선택하신 분이 참으로 존재하시기 때문입니다. 그분들은 이 사제 활동에 하루 종일 시간을 바칩니다. 비록 모순이 있을 수 있지만 이 부르심은 기쁨이 가득한 놀라운 선물이기도 합니다. 한마디 덧붙이자면 모순 없는 피조물은 없습니다.

이러한 모든 사항은 앞서 말씀드린 것처럼 놀라움을 증가시킬 수 있습니다. 왜 이 땅에서 선하고 깨끗한 많은 것들을 포기해야 하며, 어떤 이유로 훌륭한 전문 직업을 포기해야 하는지, 그리고 왜 세속적인 문화, 교육, 경제 또는 다른 시민 활동 분야에서 모범을 보여주며 사회에 그리스도적 영향력을 발휘하는 것을 포기해야 하는지에 대해 일부 사람들은 계속해서 고민하게 될 것입니다.

요즘 많은 곳에서 신부님의 역할에 대한 관심이 높아지고 있습니다. '신부님의 정체성'을 찾아야 한다는 논의가 부각되고 있습니다. 그리고 현재의 상황에서 사제직을 통해 하느님께 자신을 바치는 것이 어떤 의미인지에 대한 의문이 제기되고 있습니다. 또한, 이미 개인적인 노력을 통해 세상의 직업과 일의 문제를 해결한 그리스도인들 사이에서, 사제 성소가 부족한 현재 시기에 새로운 사제들이 등장한다는 것은 놀라운 일입니다.

사제들과 평신도들

이로 인해 일부 사람들이 놀랄 수 있다는 것을 이해하지만, 저는 그 의견에 동의하지 않습니다. 만약 동의한다고 말하면 저는 거짓말을 한 것과 같습니다. 이 신부님들은 자유라는 매우 초자연적인 이유로 인해 사제품을 받아들이며, 사제품을 받는 것이 특별한 자기포기를 의미하는 것은 아니라는 것을 알고 있습니다. 그분들은 이미 오푸스데이의 성소를 받아 교회와 모든 영혼을 위해 봉사하는데 전념하였습니다. 그분들은 평신도로서 이미 완전하고 신성한 성소를 가지고 있었기 때문에, 일상적인 일들을 거룩하게 하고, 그 일들을 통해 자신도 거룩해지며, 그분들이 전에 가졌던 전문적인 직업을 통해 다른 사람들의 거룩함을 이끌어 내었습니다.

사제든 평신도든 오푸스데이의 일원은 언제나 평범한 그리스도인입니다. 모든 그리스도인과 마찬가지로 이들도 성 베드로의 다음과 같은 말씀의 수신자입니다. "여러분은 '선택된 겨레고 임금의 사제단이며 거룩한 민족이고 그분의 소유가 된 백성입니다. 그러므로 여러분은' 여러분을 어둠에서 불러내어 당신의 놀라운 빛 속으로 이끌어 주신 분의 '위업을 선포하게 되었습니다.'"[4]

그리스도인들, 사제 및 평신도의 상태는 하나이며 동일합니다. 왜냐하면 우리 주님께서는 우리 모두를 사랑의 충만함과 거룩함으로 부르셨기 때문입니다: "우리 주 예수 그리스도의 아버지 하느님께서 찬미받으시기를 빕니다. 하느님께서는 그리스도 안에서 하늘의 온갖 영적인 복을 우리에게 내리셨습니다. 세상 창조 이전에 그리스도 안에서 우리를 선택하시어, 우리가 당신 앞에서 거룩하고 흠 없는 사람이 되게 해 주셨습니다."[5]

---

[4] 1베드 2,9-10.

[5] 에페 1,3-4.

우리가 하느님의 은총 상태에 있고 우리의 모범이 되시는 그리스도를 닮기 위해 끊임없이 노력하지 않는다면, 우리는 이 신성한 전투에서 패배할 것입니다. 2 등급의 거룩함은 없기 때문입니다. 주님은 모든 사람이 각자의 상태에서 거룩해지도록 초대하십니다. 개인적인 실수와 불행에도 불구하고 오푸스데이에는 거룩함을 향한 열정이 있습니다. 이 열정은 성직자든 평신도든 아무런 차이가 없습니다. 게다가 사제는 전체 일원 중 극히 일부에 불과합니다.

신앙의 눈으로 바라본다면, 사제직에 이르렀을 때 포기할 것이 전혀 없습니다. 반면에 사제직을 얻는다고 해서 오푸스데이에 대한 성소의 절정을 이룬다는 의미는 아닙니다. 거룩함은 독신, 기혼, 미망인, 사제 등 신분에 따라 달라지는 것이 아니라 은총에 대한 개인적인 응답에 따라 달라집니다. 이 은총은 우리 모두에게 주어집니다. 이를 통해 우리는 어둠의 행실을 벗어 버리고 빛의 갑옷을 입습니다, 즉 평온, 평화, 인류 전체에

대한 희생적이고 즐거운 봉사로 자신을 단장하는 법을 배웁니다.[6]

사제직의 품위

신부가 되는 것은 그 자체로 다른 사람보다 더 낫지도 나쁘지도 않은 상태에서 하느님을 섬기는 것으로 이어집니다. 그러나 사제직에 대한 성소는 이 세상 그 어떤 것도 능가할 수 없는 품위와 존엄성이 있는 것처럼 보입니다. 시에나의 성녀 카타리나는 예수 그리스도께서 다음과 같이 말씀하셨다고 했습니다: "네가 (성직자들을) 변함없이 존경하는 것이 내 뜻이라고 말한 이유를 묻는다면 나는 네게 이렇게 대답할 것이다. 네가 그들에게 보여주는 존경은 사실 그들에게 돌아가는 것이 아니라, 내가 그들의 사목으로 일임한 성혈 때문에, 나에게로 돌아오는 것이다. 만약 그렇지 않다면 너는 다른 사람들을 존경하는

---

[6] 로마 13,12 참조.

수준 정도로만 그들을 존경하면 되지 그 이상은 할 필요가 없을 것이다 (…) 그렇게 될 경우 너는 그들을 거슬러 죄를 범하고 있는 것이 아니라 실제로는 나를 거슬러 죄를 범하는 것이 되기 때문이다. 그러기에 그렇게 하지 말도록 금했던 것이며, 아무도 그들을 손대서는 안 된다는 것이 내 뜻이라고 말했던 것이다."[7]

어떤 사람들은 말하듯이 사제의 정체성을 찾으려고 노력합니다. 시에나의 성녀 카타리나가 남긴 이 말씀은 얼마나 명료합니까! 사제의 정체성은 무엇입니까? 그리스도가 된다는 특수성입니다. 모든 그리스도인들은 더 이상 '제2의 그리스도(Alter Christus)'가 아니라 '그리스도 자신(Ipse Christus)'이 될 수 있고 또 그래야 합니다! 그러나 사제의 경우에는 성사적인 방식으로 즉시 일어납니다.

---

[7] 시에나의 성녀 카타리나, '대화', 116장; 시편 105,15 참조, 바오로딸, 1997.

"이토록 큰일(구원 사업)을 완수하시고자 그리스도께서는 언제나 교회에, 특별히 전례 행위 안에 계신다. 그리스도께서는 미사의 희생 제사 안에 현존하신다. '당신 친히 그때에 십자가에서 바치셨던 희생 제사를 지금 사제들의 집전으로 봉헌하고 계시는 바로 그분께서' 집전자의 인격 안에 현존하시고, 또한 특히 성체의 형상들 아래 현존하신다."[8] 사제품 성사를 통해 사제는 주님께 자신의 목소리와 손, 온몸을 효과적으로 바칠 수 있게 됩니다. 예수 그리스도는 거룩한 미사에서 축성의 말씀을 통해 빵과 포도주의 실체를 즉시 그분의 몸, 그분의 영혼, 그분의 피, 그분의 신성으로 변화시키십니다.

이것이 사제의 비교할 수 없는 존엄성의 기초입니다. 그것은 하느님께 받은 위대함, 내 작음과 양립할 수 있는 위대함입니다. 저는 모든 사제들이 거룩한 일을 거룩한 방식으로 행할 수

---

[8] 제2차 바티칸 공의회, 전례 헌장 "거룩한 공의회", 7; 트렌트 공의회, 성체성사에 관한 교령, 제2장, 참조.

있도록 은총을 베풀어 주시기를 우리 주 하느님께 간구합니다. 우리 삶에도 주님의 위대하심을 반영할 수 있는 은총을 주시기를 바랍니다. 주님의 수난의 신비를 기념하는 우리는 자기희생을 실천함으로써 그리스도를 본받아야 합니다. 그리고 우리가 직접 성체가 되면 그 성체가 하느님 앞에서 우리를 대신할 것입니다.[9]

겉으로 보기에 복음에 따라 살지 않는 것처럼 보이는 사제를 만나더라도 일단 그를 판단하지 마십시오. 그리고 그 사제가 축성할 의도를 가지고 미사 성체를 올바르게 거행한다면, 비록 존경할만 하지 않은 사제라고 할지라도 우리 주님께서는 그의 손에 내려오신다는 것을 알아 두십시오. 그 사제에게 더 많은 자기포기와 더 많은 비움이 가능할까요? 다시 말하면 베들레헴과 갈바리아산보다 더 많습니다. 왜 그럴까요? 왜냐하면 예수 그리스도의 마음은 인류의 구원에 대한 갈망으로 가득하며, 그분께서는 어느 누구도

---

[9] 성 대 그레고리오, 대화 4,59.9, 참조.

자신을 부르지 않았다고 주장하는 것을 바라지 않으시기 때문입니다. 따라서, 예수님은 자신을 찾고 싶어하지 않는 사람들조차도 우연히 만난 것처럼 만나고 싶어하십니다.

즉, 사랑 때문입니다! 다른 설명은 없습니다. 그리스도의 사랑을 설명하는 데는 말로는 언제나 부족합니다! 예수님은 모든 것을 받아들이시며, 신성모독에서부터 많은 이들의 냉담함에 이르기까지 모든 것을 당할 준비가 되어 있으십니다. 그분께서는 상처 입은 가슴 속에서 뛰는 정성스러운 마음을 찾을 수 있는 기회를 적어도 한 사람에게라도 주기 위해 이렇게 하십니다.

이것은 바로 사제의 정체성입니다. 사제는 그리스도께서 우리를 위해 얻으신 구원의 은총을 즉시적이고 일상적으로 전달하는 수단입니다. 이 사실을 이해하고 기도의 침묵 속에서 묵상했다면, 어떻게 사제직을 포기라고 생각할 수 있습니까?

포기가 아니라 측정할 수 없는 이익입니다. 성모 마리아는 하느님을 제외하고는 가장 거룩한 분이십니다. 그러나 마리아는 오직 한 번만 예수님을 세상에 내려오게 하셨습니다. 그에 반해 사제들은 매일 예수님을 이 지구에, 그리고 우리의 몸과 영혼에 계시게 합니다. 그리스도께서는 사제들을 통해서 우리에게 양분을 주시며, 부활시키시며, 영원한 생명의 약속이 되기 위해 오시기 때문입니다.

보편 사제직과 직무 사제직

인간이든 신자이든, 사제는 평신도보다 더 뛰어난 것을 갖고 있지 않습니다. 이런 이유로 사제는 겸손한 생활을 하는 것이 가장 적합합니다. 이렇게 사제는 자신의 경우에도 성 바오로의 말씀이 어떻게 특별한 방식으로 성취되는지 이해할 수 있을 것입니다. “그대가 가진 것 가운데에서 받지 않은 것이 어디 있습니까?"[10] 사제가 받은 것은... 바로 하느님이십니다! 사제가 받은 것은 성체성사, 즉 거룩한 미사를 거행할 수 있는 능력입니다. 이것이 사제서품의 주된 목적입니다. 사제가 또 죄를 용서하고, 다른 성사를 집행하며, 하느님의 말씀을 권위 있게 선포하여 다른 신자들에게 하늘나라와 관련된 일들을 인도하는 것입니다.

"사제들의 사제직은 그리스도교 입문 성사들을 전제하지만 개별 성사로 수여된다. 이 성사로써 사제는 성령의 도유로 특별한 인호가 새겨지고 사제이신 그리스도와 동화되어 머리이신 그리스도로서 행동할 수 있다."[11] 교회는 사람의 변덕이 아니라 설립자이신 예수 그리스도의 분명한 뜻에 따라 존재합니다. "제사와 사제직은 하느님의 안배로 서로 연결되어 있어서, 이 둘은 신약과 구약 안에 존재했었다. 그러므로 가톨릭 교회는 주님의 제정에 따라 신약 안에서

---

[10] 1 코린 4,7

[11] 제2차 바티칸 공의회, 교령 "사제품", 2.

가시적으로 성찬례의 거룩한 제사를 받았기 때문에, 가톨릭 교회에는 가시적이고 외적인 새로운 사제직이 존재하며, 옛 사제직은 새로운 사제직으로 변하였다고 고백해야 한다."[12]

사제서품을 받은 사람의 경우, 이 직무 사제권은 모든 신자들의 보편 신제권에 추가됩니다. 그러므로 사제가 다른 신자들보다 더 깊은 의미로 그리스도교 신자라고 주장하는 것은 실수이지만, 다른 한편으로는 사제가 더 깊은 의미로 사제라고 불릴 수 있습니다. 사제는 모든 그리스도인과 마찬가지로 그리스도에 의해 구속된 사제적 백성입니다. 더욱이 신자들의 보편 사제직과는 "정도만이 아니라 본질에서"[13] 다른 직무 사제직의 인호를 받았습니다.

---

[12] 트렌트 공의회, 성품성사에 관한 교리와 법규들, 제1장, 덴칭고, 1764.

[13] 제2차 바티칸 공의회, 헌장 "인류의 빛", 10.

저는 일부 사제들이 자신을 평신도로 변장해서 자신이 서품을 받아서 교회에서의 특별한 사명을 잊거나 소홀히 하려는 것을 이해하지 못합니다. 그들은 그리스도인들이 사제를 그저 다른 일반 사람의 모습으로 보고 싶어한다고 생각합니다. 하지만 이것은 사실이 아닙니다. 그리스도인들은 이해, 정의, 일의 삶 (성직자의 경우 사제적 사목), 사랑, 예의, 다른 사람을 대할 때의 온화 등 모든 그리스도인이나 정직한 사람에게 적합한 미덕을 사제가 갖추기를 원합니다.

그러나 신자들은 이 외에도 사제적 특성이 분명하게 강조되기를 원합니다: 그들은 사제가 기도하고, 성사를 거행을 거부하지 않으며, 어떤 종류의 인간 파벌의 지도자나 무장 세력이 되지 않고 모든 사람을 맞이할 준비가 되어 있기를 기대합니다. [14] 그들은 사제가 거룩한 미사를 거행하는 데 사랑과 헌신을 쏟고, 고해소에서 시간을 보내고, 병자와 고통받는 이들을

---

[14] 같은 곳, 교령 "사제품", 6, 참조.

위로하기를 기대합니다. 그들은 사제가 어린이와 성인에게 교리를 가르치기를 기대합니다. 그들은 사제가 완벽하게 알고 있더라도 인간의 과학이 아니고 하느님의 말씀을 설교하기를 기대합니다. 그 과학은 구원을 주고 영생에 이르게 하는 과학이 아니기 때문입니다. 그들은 사제가 가난한 사람들을 위한 조언과 사랑을 베풀기를 기대합니다.

한마디로 신자들은 사제가 특히 성체와 성혈의 희생을 바칠 때와 청각적이고 은밀한 고해성사를 통해 하느님의 이름으로 죄를 용서할 때 그리스도의 현존을 방해하지 않는 법을 배우는 것을 기대합니다. 이 두 성사를 집행하는 것은 사제의 사명에서 매우 중요하기 때문에 다른 모든 것이 이 성사를 중심으로 이루어져야 합니다. 설교와 교리를 가르치는 다른 사제의 임무가 신자들을 그리스도에게로 이끌지 않는다면 근거가 없을 것입니다. 우리는 바로 사랑스러운 참회의 심판인 고해성사와 피를 흘리지 않고 끊임없이 새로워지는 갈바리아의 희생인 거룩한 미사에서 그분을 만납니다.

거룩한 미사 희생에 대해 조금 더 말해 보겠습니다. 우리에게 그것이 그리스도인의 삶의 중심이자 뿌리라면, 그것은 특별한 방식으로 사제의 삶의 중심이자 뿌리임에 틀림없기 때문입니다. 거룩한 제대의 희생을 자발적으로 자청하지 않고 매일 실천하지 않는 사제는 하느님에 대한 사랑을 거의 드러내지 않습니다.[15] 그 사제는 예수님의 구원에 대한 열망을 공유하지 않는 것 같고 영혼의 양식으로 자신을 바치려는 예수님의 자기희생적 사랑을 이해하지 못하고 그리스도에게 불평하는 것과 같습니다.

---

[15] 같은 곳, 13, 참조.

거룩한 미사를 위한 사제

죄인이든 성인이든 사제가 거룩한 미사를 거행할 때 제대 위에서 그분의 거룩한 갈바리아 희생을 새롭게 하시는 분은 우리가 아니라 그리스도라는 사실을 끈질기게 주장하며 상기해야 합니다. "사제들이 그 주요 임무를 수행하는 성찬의 희생 제사의 신비 안에서 우리를 구원하시는 활동이 계속 이루어지므로 성찬례를 날마다 거행하기를 적극 권장한다. 비록 신자들이 참석하지 않더라도, 그것은 참으로 그리스도의 행위이며 교회의 행위이다."[16]

트렌트 공의회는 "미사 안에서 이루어지는 이 신적인 희생 제사 안에는 십자가의 제단 위에서 단 한 번 자신을 피 흘리시며 봉헌하신 같은 분이신 그리스도께서 계시며 피 흘림 없이 (봉헌됩니다...) 왜냐하면 그 희생 제물은 동일한

---

[16] 같은 곳.

한 분이시며, 그분은 당시 십자가에서 자신으로 봉헌하시고 지금은 사제들의 직무를 통하여 봉헌되는 바로 그분이시기 때문이다. 다만 봉헌의 방식만이 다를 뿐이다."라고 가르칩니다.[17]

신자들이 미사에 참석하거나 불참한다고 해서 신앙의 진리가 바뀌는 것은 아닙니다. 저는 한편으로는 다른 신자들과 함께 한 신자이지만, 무엇보다도 제대 위의 그리스도입니다! 저는 갈바리아의 신성한 희생을 피없이 갱신하며 "그리스도의 위격과 그분의 이름으로 (in persona et in nomine Christi)" 축성합니다. 저는 예수 그리스도를 진심으로 나타내고 있습니다. 그 이유는, 제 몸과 목소리, 손 그리고 때때로 더럽혀진 가난한 마음을 그분께 바치기 때문입니다. 저는 그분이 제 마음을 정화해 주시기를 동시에 원합니다.

---

[17] 트렌트 공의회, 미사성제에 관한 교리와 법규, 덴칭고, 1743.

봉사자 한 분과 함께 사제가 거룩한 미사를 거행할 때에도 모든 신자들이 미사에 함께 합니다. 저는 모든 가톨릭 신자들, 모든 그리스도인, 그리고 믿지 않는 사람들도 저와 함께 있다고 느낍니다. 땅과 하늘, 바다, 동물과 식물 등 하느님의 모든 피조물이 있으며, 모든 피조물들이 주님께 영광을 돌리고 있습니다.

특히 제2차 바티칸 공의회의 말씀에 따라 "성찬의 희생 제사를 거행하는 우리는 천상 교회의 예배와 밀접히 결합되고 일치되어, 영광스러운 평생 동정이신 마리아를 비롯하여 성 요셉과 복된 사도들과 순교자들과 모든 성인을 기억하고 공경한다."[18]

모든 그리스도인들은 우리 사제들을 위해 많이 기도해 주시고, 거룩한 방식으로 거룩한 희생을 거행하는 방법을 알 수 있도록 기도해 주시기

---

[18] 제2차 바티칸 공의회, 헌장 "인류의 빛", 50, 참조.

바랍니다. 신자들은 거룩한 미사에 대한 섬세한 사랑을 발휘하시길 바랍니다. 이렇게 하여 사제들이 미사 때 인간적이고 초자연적인 품위와 우아함을 갖추어, 전례복과 전례 물품들을 청결하게 하고, 헌신적으로, 서두르지 않고 거룩하게 집행할 수 있도록 도움을 주십시오.

미사 때에 뭐가 그리 급하신가요? 서로 사랑하는 애인 사이라면 작별 인사에 서두릅니까? 그들은 가려고 하다가 다시 돌아오는 것 같고, 몇 번이고 다시 돌아오고, 방금 만난 것처럼 평범한 대화를 합니다... 고귀하고 깨끗한 인간 사랑의 모범을 하느님의 일에 적용하는 것을 두려워하지 마십시오. 우리가 그 마음으로 주님을 사랑한다면, 주님을 만날 때에는 주님과의 이 사랑의 만남을 서두르지 않을 것입니다.

어떤 사제들은 여유를 가지고 독서, 공지, 권고를 하면서 사람들이 지칠 때까지 시간을 끌어도 상관없다고 생각합니다. 그러나 미사에서 가장 중요한 순간인 희생이 이루어질 때, 그들은 너무 서두릅니다. 이렇게 함으로 다른 신자들이 사제이자 희생자이신 그리스도를 정성껏 경배하지 못하게 합니다. 게다가, 이런 이유로 인해 그러한 사제들은 신자들이 우리 가운데 다시 오시길 원하시는 분께 서두르지 않고 천천히 감사하는 방법을 배울 수 있도록 도움을 주지 않습니다.

그리스도인의 마음의 모든 애정과 필요는 거룩한 미사 안에서 최고의 방법, 즉 그리스도를 통해 성령 안에서 아버지께 도달하는 방법을 찾는 것입니다. 사제는 모든 신자들이 이 진리를 알고 그대로 살수 있도록 특별한 노력을 기울여야 합니다. 활동 중에서 성체 성사를 사랑하고 존경하도록 가르치고 실천하는 것보다 더 중요한 것은 없습니다.

“사제는 두 가지 행위를 행사합니다: 하나는 참된 그리스도의 몸에 대한 주된 행위이고, 다른 하나는 그리스도의 신비체에 대한 보조적인 행위입니다.

두 번째 행위 또는 직무는 첫 번째 행위에 의존하지만 그 반대의 경우는 아닙니다."[19] 그렇기 때문에 사제 직무의 가장 중요한 부분은 모든 가톨릭 신자들이 더욱 순수하고 겸손하며 경건한 마음으로 거룩한 희생에 다가갈 수 있도록 하는 것입니다. 사제가 이 일에 노력한다면 그는 실망하지 않을 것이며 동료 그리스도인들의 양심을 실망시키지 않을 것입니다.

거룩한 미사에 우리는 "주 너의 하느님께 경배하고 그분만을 섬겨"라는 말씀을 즐거이 이행하며 경배합니다.[20] 이것은 창조주에 대한 피조물의 첫 번째 의무입니다. 차갑고 외향적이며 섬기는 경배가 아니라 아들의 친밀한 사랑인 친밀한 존경과 존중입니다.

거룩한 미사 때에 우리는 우리 자신과 모든 사람의 죄를 속죄할 수 있는 완벽한 기회를

---

[19] 토마스 아퀴나스, 대사전, 추가. 36,2,1 참조.

[20] 신명 6,13; 마태 4,10.

발견합니다: 우리는 성 바오로와 함께 그리스도께서 당해야 할 일을 우리 육신 안에서 성취하고 있다고 말할 수 있습니다.[21] 이 세상에는 아무도 혼자 걷지 않습니다. 원죄의 결과이자 많은 개인죄의 총합인 이 땅에서 범한 나쁜 행동에 대한 책임감이 없다고 생각해서는 안 됩니다. 희생을 사랑하고 속죄를 추구합시다. 어떻게 할까요? 거룩한 미사 안에서 사제이시며 희생자이신 그리스도께 우리 자신을 일치시키는 것입니다. 그분께서는 언제나 여러분과 저와 모든 피조물들의 불충실의 무거운 짐을 지실 것입니다.

갈바리아의 희생은 그리스도의 관대함을 무한히 보여주는 것입니다. 우리 각자는 기도할 때 이기적인 동기를 가지고 있지만, 우리 주님께서는 우리가 필요한 것들을 그분께 미사 시간에 요청할 때 그 이기심에 화를 내지 않으십니다. 요청할 것 없는 사람이 어디 있습니까? "주님, 이 병을 기억하소서…" "주님, 이 슬픔을 기억하소서…"

---

[21] 콜로 1,24, 참조.

“주님, 당신에 대한 사랑 때문에 이 모욕을 견디어야 합니다. 그러나 할 수 없습니다. 도와 주소서…” 우리는 우리 가정의 선과 행복과 기쁨을 위해 기도합니다. 우리의 마음은 빵과 정의에 굶주리고 목마른 사람들의 운명에 억눌려 있습니다. 우리는 외로움의 쓰라림을 경험하는 사람들, 또는 삶을 마감할 때 사랑이나 도움의 손길을 받지 못하는 사람들 때문에 마음이 아픕니다.

그러나 우리를 고통스럽게 하는 가장 큰 불행, 우리가 해결하고자 하는 가장 큰 문제는 바로 죄입니다. 즉 하느님으로부터의 소외, 영혼들이 영원히 지옥으로 갈 위험입니다. 갈바리아에서 목숨을 바친 예수님처럼, 우리가 미사를 거행할 때의 근본적인 열망은 하느님의 사랑 속에서 사람들을 영원한 영광으로 이끌어 가는 것입니다.

주님께서 무고한 희생자로서, 미사에서 사제의 손에 내려오실 때, 우리는 이와 같은 진심을 담아 주님과 대화하는 데 익숙해지는 것이 좋겠습니다. 주님의 도우심에 대한 신뢰는 우리의 영혼을 민감하게 할 것입니다. 이 민감성은 언제나 선의와 사랑을 베풀게 하고 이해심을 높여 줄 것입니다. 우리는 고통받는 사람들과 인위적인 행동으로 잠시 만족감을 느끼다가 곧 슬픔으로 변하는 이들에게도 따뜻한 마음을 가지고 갈 준비가 되어 있을 겁니다.

마지막으로, 우리 주님께서 우리에게 주시는 모든 것에 감사합시다. 그분께서는 자신을 희생하시는 놀라운 행위를 통해 주시기 때문입니다. 강생하신 하느님의 말씀이 우리 가슴에 오신다는 것은... 천지를 창조하신 그분께서 연약한 우리 속에 담기시는 것은 얼마나 놀라운 일입니까...! 잠깐만 생각해 보십시오: 성모 마리아께서 그리스도를 태중에 품기 위해 원죄 없이 잉태되셨습니다! 은총의 영향은 선물과 공로 차이에 비례해야 합니다. 그러므로 우리의 하루에 계속되는 성체, 즉 "유카리스티아"(감사 행위)로 바꾸는 것이 좋지 않을까요? 성체 성사를 모시고 나서 성당에서 바로 나가지 않는 것이 좋습니다. 주님께 감사기도를 드리는 데 10분도 할애할 수 없을 정도로 그렇게 중요한 일이 여러분을 기다리고 있나요? 인색하지 맙시다. 사랑은 사랑으로 보답합시다.

영원한 사제

사제가 거룩한 미사를 다음과 같이 진행한다면, 경배, 속죄, 간청, 감사를 통해 그리스도와 일치가 되고, 그리고 다른 사람들에게 제대의 희생을 그리스도인의 삶의 중심과 뿌리로 삼도록 가르친다면, 그 사제는 자신의 성소의 위대함, 즉 영원히 잃지 않을 인봉된 인호의 위대함을 진정으로 보여줄 것입니다.

제 생각에는 일부 신부님들이 하느님의 성직자로서 역할을 수행하는 동안 신부라는 신분에 부끄러움을 느낀다면, 불행하게도 그들은 인간적으로나 그리스도인의 관점에서 실패자로 간주되어야 합니다. 그들이 직무를 포기하고 평신도를 흉내 내고 두 번째 직업을 찾게 됩니다. 이렇게 함으로써 그들의 소명과 사명에 따라 자신에게 맞는 직업을 점차 대체하게 되어 부끄러운 일입니다. 종종 그러한 신부들은 영혼을 돌보는 일에서 벗어나 평신도에게 적합한 영역, 즉 사회적 리더십과 정치에 대한 개입으로 대체되는 경향이나 유사한 일들을 언급합니다. 이후 진정한 사제의 사명에 대한 병리적인 "성직자주의"가 나타납니다.

비관론처럼 들릴 수 있는 이런 어두운 이야기로 마치고 싶지 않습니다. 참된 그리스도적 사제 직무는 하느님의 교회에서 사라지지 않았습니다. 이 교리는 예수님의 신성한 입술로 가르친 불변의 교리입니다. 전 세계에는 수천 명의 사제들이 자신의 부르심에 화려함 없이 온전히 응답하고 있습니다. 그분들은 처음부터 교회에 있던 거룩함과 은총의 보물을 버리려는 유혹에 빠지지 않습니다.

지구 곳곳에 흩어져 있는 이런 형제 사제들의 인간적이고 초자연적인 존엄성에 대해 생각하게 되어 기쁩니다. 세상에서 그들이 많은 그리스도인들의 우정과 도움, 애정으로 둘러싸여 있어야 하는 것은 당연한 일입니다. 그리고 그 신부님들이 하느님 앞에 서 있어야 할 때가 되면, 예수 그리스도가 그분들을 만나러 오실 것입니다. 그분은 예수님의 관리자로서 받은 은총을 적절한 시기에 관대하게 다른 사람들에게 나눠준 그분들에게 영원한 영광을 주실 것입니다.

이번 여름에 사제가 될 오푸스데이 일원들을 다시 한번 생각해 봅시다. 그분들이 항상 충실하고, 경건하고, 학식 있는, 헌신적이고, 매우 기쁜 사제가 될 수 있도록 그들을 위해 기도하는 것을 멈추지 마십시오! 특히 그분들을 성모님에게 맡겨 주세요. 성모님은 성모님의 아드님을 섬기기 위해 평생을 바치는 이분들을 위해 어머니로서 예수님께 열심히 기도하십니다. 이는 성모님의 아드님이 바로 영원한 사제이신 우리 주 예수 그리스도이시기 때문입니다.

* * *

"이 세상을 열정적으로 사랑하며"

1967 년 10 월 08 일에 드리는 강론

성령 강림 후 제21주일에 해당하는 거룩한 성경 말씀 중 두 구절을 들으셨습니다. 하느님의 말씀을 듣는다는 것만으로도 여러분들은 제가 드리는 말씀을 통해서 제가 원하는 분위기에 들어간다고 할 수가 있습니다.

거룩한 교회 안에서, 또한 하느님의 자녀들의 가족 앞에서 선포되는 이 말씀은 하느님의 위대하심과 자비를 드러내는, 초자연적인 말씀입니다.

또한 오늘 이곳, 나바라 대학교 캠퍼스에서 봉헌되는 경이로운 성체성사를 합당하게 거행할 수 있도록 여러분을 준비시키는 말씀입니다.

지금 방금 드린 말씀을 진지하게 생각해 보십시오.

우리는 주님의 몸과 피의 성사적인 희생인 성체성사에 참여하고 있습니다. 이 성사는 그리스도교의 모든 신비와 연결되는 믿음의 신비입니다.

그러므로 우리는 하느님의 은총으로, 인간이 일생 동안 할 수 있는 것 중 가장 거룩하고 탁월한 일을 하고 있는 것입니다.

주님의 몸과 피를 받아 모신다는 것은 어떤 면에서는 하늘나라, 곧 그리스도께서 친히 우리의 눈에서 모든 눈물을 닦아주실 곳, 이전 것들이 사라져 버렸기 때문에 다시는 죽음이 없고 다시는 슬픔도 울부짖음도 괴로움도 없을 그곳에서[22] 하느님과 함께 있기 위하여 이 땅과 이 시간의 굴레에서 벗어나는 것과 같습니다.

---

[22] 묵시 21,4 참조.

하지만 이 의미 있고 위안이 되는 사실, 곧 신학자들이 '성체성사의 종말론적 의미'라고 부르는 것이 어쩌면 잘못 이해될 수도 있습니다. 그리고 실제로 사람들이 그리스도인의 삶을 단지 "영적인 것", 지상에 사는 동안 세상의 경멸스러운 것들에 거리를 두고 살아가는 사람들, 혹은 기껏해야 영혼에 꼭 필요한 것 정도만 용인하는 순수하고 특별한 사람들에게만 어울리는 것으로 소개하려고 할 때마다 그런 오해가 생기곤 했습니다.

그리스도인의 삶을 이렇게 바라본다면, 성당이 그리스도인의 삶에서 가장 훌륭한 장소가 됩니다. 그리고 그리스도인이라는 것은 곧 성당에 가는 것을, 전례 예식에 참여하는 것을, 본당의 활동에 몰두하는 것을 거의 전적으로 의미하게 됩니다. 평범한 세상이 제 갈 길을 가는 동안, 천국의 대기실로 여겨지는 일종의 분리된 세상에서 말입니다. 그렇게 된다면 교회의 가르침과 은총의 삶은 격동적인 인간의 역사와 결코 만나지 않고 그저 스쳐 지나가게 될 것입니다.

매일 생활에서 그리스도를 만남

이 10월 아침, 주님의 파스카 잔치를 거행하는 이때에, 우리는 이 그릇된 그리스도교 개념을 단호하게 거부해야 합니다. 오늘 우리가 주님께 감사드리는 이 미사성제의 장소를 잘 살펴보십시오, 우리는 지금 특별한 성당에 있습니다. 성당의 신자석은 이 캠퍼스이고 교회 바로 제단 뒤 장식은 이 대학교의 도서관이라고 볼 수 있습니다. 또, 저 멀리에는 새 건물들을 짓는 기계가 보이고, 위로는 이곳 나바라의 푸른 하늘을 볼 수 있습니다.

분명히 이 사실이, 눈에 보이는 그리고 잊을 수 없는 방식으로, 여러분의 마음속에 일상생활이야말로 그리스도인으로서 살아가는 진정한 장소라는 확신을 줄 것입니다. 여러분이 일상적으로 하느님을 만나는 곳은 바로 여러분의 동료가 있고, 여러분의 갈망이 있고, 여러분의 일과 사랑이 있는 곳입니다. 그곳에서 여러분은 매일 그리스도를 만납니다. 우리가 하느님과 온 인류에 봉사하면서 우리 자신을 성화해야 할 장소는 바로 이 세상의 가장 물질적인 것들 한가운데라는 이야기입니다…

저는 성경 말씀을 인용하여 이를 계속해서 가르쳐 왔습니다. 이 세상은 주님의 손에서 나왔기에, 그분의 창조물이기 때문에 그 자체로 나쁜 것이 아닙니다. "하느님께서 보시니 좋았"기 때문입니다.[23] 이 세상이 나쁘고 추하게 된 것은 우리 인간의 죄와 부정(不貞)으로 그렇게 된 것입니다. 여러분, 의심치 마십시오. 이 세상에서 사는 여러분이 어떤 방법으로든 일상생활에서

---

[23] 창세 1,7 참조.

도망간다면, 그것은 분명히 하느님의 뜻에서 벗어나게 되는 것입니다.

일상에서에 계시는 하느님

이와는 반대로, 하느님은 여러분을 인간사(人間事)의 일상적이고 물질적이고 세속적인 활동들 안에서, 그리고 그 활동들로부터 그분께 봉사하라고 부르고 계심을 깨달으셔야 합니다. 더욱 분명히 과학 연구실에서, 병원 수술실에서, 군대에서, 대학 강의에서, 공장에서, 작업장에서, 농장에서, 가정에서, 그리고 모든 일의 큰 파노라마에서 하느님께서 매일 우리를 기다리고 계십니다. 잘 알아드십시오: 가장 일상적인 상황들 안에 거룩한 것들과 신성한 것들이 숨겨져 있습니다. 이것을 발견하느냐는 여러분에게 달려 있습니다.

저는 지난 30년대에, 대학생과 노동자 청년들에게 영성 생활을 "물질적으로" 만들어야 한다고 가르치곤 했습니다. 이것은 그때나 지금이나 있을 수 있는 이중생활의 유혹에서 보호하려 한 것이지요. 하느님과 관계 맺는 내적 생활을 하고, 또 다른 쪽으로는 세속적인 일이 가득한 직업 생활, 사회생활, 가정생활을 하면서 둘을 분리하고 구분하려는 이중생활 말입니다.

안 됩니다, 여러분! 우리들은 이와 같은 이중적인 삶을 살아서는 안 됩니다. 그리스도인이 되고자 한다면 이러한 조현병 환자와 같은 생활을 할 수가 없습니다. 육체와 영혼으로 이루어진 단 하나의 삶이 있을 뿐입니다. 그리고 이 하나의 삶이, 영육 안에 모두, 하느님으로 가득 채워져 거룩해져야 합니다. 우리는 보이지 않는 하느님을 가장 분명히 보이고 가장 물질적인 것들 안에서 찾을 수 있습니다.

다른 길은 없습니다. 우리가 평범한 일상생활 안에서 주님을 발견하지 못한다면 결코 그분을 발견할 수 없기 때문입니다. 그래서 우리 세대가 물질과 하찮게 보이는 상황에서 고귀한 본래의 의미를 되찾아야 된다고 말할 수 있는 것입니다. 그래서 그것이 물질과 사소한 상황들을 하느님의 나라를 섬기는 것에 도움이 되게 하고, 그것들을 영적으로 만들고, 우리 주 예수 그리스도와 꾸준히 만날 수 있는 기회와 방법이 되게끔 해야 합니다.

그리스도교적 물질주의

육신의 부활을 믿는 진정한 그리스도교적 의미는 유물론이라고 판단되는 위험을 가지고도 항상 성자 하느님이신 예수 그리스도께서 인간이 되신 것)을 거부하는 관념에 반대했습니다. 그래서 우리는 마땅히, 영적인 것에 닫힌 유물론에 뚜렷하게 반대되는 "그리스도교적 유물론"이 있다고 말할 수 있는 것입니다.

초기 그리스도인들이 사람이 되신 말씀의 발자국이라고 일컫던 일곱 성사가 바로 하느님께서 우리를 거룩한 삶에 이르게 하고 천국에 올라갈 수 있게 하기 위하여 이 길을 택하셨음을 보여 주는 가장 명백한 표징이 아니겠습니까? 하나하나의 성사가 물질적인 방법으로 우리에게 주어지는, 창조와 구원의 힘을 가진, 하느님의 사랑인 것을 볼 수 있지 않습니까? 지금 다가오는 성체성사가, 초라한 이 세상의 물질(빵과 포도주)을 통하여, 최근의 공의회가 상기했다시피 "인간의 손으로 가꾼 자연 요소들"을 [24] 통하여 봉헌되어 우리 구원자의 경애하올 몸과 피가 되는 것이 아니겠습니까?

바오로 사도께서 "세상도 생명도 죽음도, 현재도 미래도 다 여러분의 것입니다. 그리고 여러분은 그리스도의 것이고 그리스도는 하느님의

[24] 현대 세계의 교회에 관한 사목 헌장「기쁨과 희망」 38 항 참조.

것입니다."[25]라고 하신 것을 이해할 수 있습니다. 바로 우리의 마음속에 계신 성령께서, 땅에서부터 주님의 영광까지 솟아오르는 움직임을 일으키기를 원하신 것입니다. 또한 사도 바오로는 이 움직임에 모든 것이, 심지어 가장 흔해 보이는 것들까지도 포함된다는 것을 명백히 밝히기 위해 "먹든지 마시든지, 그리고 무슨 일을 하든지 모든 것을 하느님의 영광을 위하여 하십시오."[26] 라고도 썼습니다.

아시다시피 성경의 바로 이 가르침이 오푸스데이의 정신의 핵심입니다. 이 가르침을 따르신다면 여러분들이 완전한 정신으로 일터에서 생활하고, 일상에서 작은 일들에 사랑을 불어넣음으로써 하느님과 온 인류를 사랑할 수 있을 것입니다. 또 사소한 일들에 숨어 있는 거룩한 것들을 발견할 수 있을 것입니다…

---

[25] 1 코린 3,23.

[26] 1 코린 10,31.

카스티야의 한 시인이 썼던 시구 한마디가 이에 잘 맞는 것 같습니다. “천천히, 필기를 하면서, 일을 잘 하는 것이, 일을 하는 것보다 더 중요하다.”[27]

평이한 글로 쓰이지는 영웅적 서사시

여러분, 한 신자가 매일의 가장 작은 일을 사랑으로 행할 때, 바로 그곳에서 초월적인 하느님이 계신다는 것을 저는 확신합니다. 그래서 수없이 여러분들에게, 그리스도인의 성소가 매일의 평범한 산문을 굉장한 시구로 만드는 것이라고, 여러 번 망치를 두드리듯이 반복하여 말을 했던 것입니다. 저 멀리 보이는 지평선에서 하늘과 땅이 하나가 되는 것처럼 보입니다. 하지만 진정으로 하늘과 땅이 만나는 곳은 평소의 일들을 거룩한 지향으로 행할 때에 여러분의 마음속입니다.

---

[27] 안토니오 마차도, 시집 161.

여러분의 일상생활을 성화하십시오. 이것이 여러분이 그리스도인으로서 해야 할 모든 임무라고 할 수 있습니다. 잘못된 꿈과 거짓의 이상주의나, 환상을 버리십시오. 제가 "만약 신비주의"라고 이름 지었던 행동생각들, 즉 "만약 내가 결혼하지 않았다면…, 만약 내가 다른 직업을 가졌었다면…, 만약 내가 더 건강했다면…, 젊었다면…, 나이 들었다면…"이라는 모든 생각들을 버리십시오. 그 대신 눈앞에 있는 물질적이고 직접적인 현실에 집중하십시오. 거기에 우리 주님이 계시기 때문입니다. 부활하신 예수님께서 말씀하셨습니다. "내 손과 발을 보아라. 바로 나다. 나를 만져 보아라. 유령은 살과 뼈가 없지만, 나는 너희도 보다시피 살과 뼈가 있다."[28]

---

[28] 루카 24,39.

평신도의 청원

여러분들이 참여하는 수 없이 많은 세상의 일들을 이 진리의 빛으로 이해할 수 있습니다. 한 나라의 국민으로서의 활동을 생각해 보십시오. 성당뿐만이 아니라 이 모든 세상이 그리스도를 만나는 곳이라는 것을 아는 사람은 이 세상을 사랑하고, 지적으로 직업적으로 적절하게 되려 노력합니다.

그 사람은 완전한 자유를 가지고 이 세상의 문제에 대한 개인의 식견을 가지고 결정을 내리게 됩니다. 그리스도인의 결정은, 작든 크든 삶에서 일어나는 모든 일 안에서 하느님의 뜻을 알아보려고 매우 겸손되이 노력하는 개인의 성찰로부터 나오는 것입니다.

그러나 그러한 신자는 결코 자신이 교회를 대표해서 성당에서 이 세상으로 내려왔다고 믿거나 말하지 않습니다. 자신의 결정이 문제에 대한 "가톨릭적 결정"이라고 말하지도 않습니다.

그러한 것들은 결코 인정할 수 없습니다. 그러한 생각은 ‘성직주의’이고 잘못된 “공식적인 가톨릭”적인 생각이라 할 수 있습니다. 어떤 이름을 붙이건 좌우간, 사실의 본성에 왜곡을 하게 되는 것입니다. 모든 곳에서 올바른 “평신도 정신”을 전해야 합니다. 이 정신은 세 가지 결과를 낳습니다. 첫째, 매우 정직해짐으로써 각자의 책임을 가지고 행동하게 됩니다. 둘째, 충분히 ‘그리스도교적’이 되어, 자유롭게 생각을 나눌 수 있는 문제에 대하여 우리 각자가 갖고 있는 생각과는 다른 의견을 내놓는 교우들을 존중하게 됩니다. 셋째, 충분히 ‘가톨릭적’이 되어, 인간적 갈등에 어머니이신 교회를 이용하지 않게 됩니다.

하느님의 모상으로 창조된 인간의 존엄성에서 비롯된 자유, 교회가 기꺼이 인정하는 그 자유를 누리지 않는다면 결코 일상생활을 성화할 수 없을 것입니다. 개인적 자유는 그리스도교의 생활에 본질적인 것입니다. 하지만 제가 말하는 자유는 책임을 동반하는 자유라는 것을 잊지 마십시오.

책임 있는 자유

이 말씀을 위급한 때만이 아니라 매일 여러분들의 권리를 행사하셔야 된다는 초대로 받아들이셔야 합니다. 이는 또한 한 국가의 시민으로서의 의무를 훌륭하게 이행하라는 초대이기도 합니다. 정치 경제적인 일들, 학업과 직업 등 모든 분야에서 여러분의 자유로운 결정들로 인한 결과와 여러분 각자가 지니는 개인적 자립성의 결과를 용기 있게 받아들여야 합니다. 이러한 그리스도교적인 "평신도 정신"은 편협함이나 광신(狂信)을 멀리 할 수 있게 합니다. 더 궁극적으로 말한다면 이러한 평신도 정신은 여러분이 동료 시민들과 평화롭게 지내도록 돕고, 이러한 이해와 조화를 사회생활의 모든 영역에서 장려할 수 있도록 도움을 줄 것입니다.

수년 전부터 같은 말을 해 왔기에 다시 한번 상기하지 않아도 되겠습니다. 시민으로서의 자유와 이해, 조화로운 삶에 대한 가르침은 오푸스데이가 전하는 메시지의 중요한 한 부분입니다. 단언컨대, 하느님의 사업 안에서 예수 그리스도께 봉사하려 하는 남녀들도 그저 다른 이들과 똑같은 시민들이며, 진지한 책임의식을 가지고 그리스도인으로서 각자의 소명을 살고자 하는 노력을 하는 사람들이라는 것을 다시 확언할 필요가 없습니다.

제 영적 자녀들은 다른 시민들과 결코 다를 게 없습니다. 이에 반하여, 같은 믿음을 제외하면 수도자들과는 같은 점이 없습니다. 저는 수도자들을 사랑하고 그들의 사도직, 그들의 수도 생활, 세속을 외면하여 (contemptus mundi) 세속을 떠난, 그들의 삶을 존경하며 그들이 거룩한 성교회의 거룩함의 또 다른 표지라고 믿습니다. 하지만 제가 주님께 받은 성소는 수도자의 성소가 아니기 때문에, 제가 수도 성소를 원한다면 그것은 틀린 것입니다. 이 땅의 어떤 권위자도 저를 억지로 결혼하게 할 수 없듯이 어떤 권위자도 저에게 수도자가 되라고 강요할 수 없습니다. 저는 재속 사제입니다. 이 세상을 열정적으로 사랑하는 예수 그리스도의 사제입니다.

일을 통한 연대

이 죄인과 함께 예수님을 따르는 이들은 누구입니까? 서품을 받기 전에 평신도로서 세속의 직업에 종사했던 사제들이 조금 있습니다. 전 세계의 수많은 교구 사제들도 있는데, 이들은 각자의 주교님들에 대한 순명을 강화하고 각자의 교구 사목에 대한 사랑을 키우며 그것을 더욱 효율적으로 만드는 분들입니다. 그들은 항상 십자가 모양처럼 양 팔을 벌리고 모든 영혼들이 그들의 마음에서 휴식을 찾도록 하고, 저와 함께 그들이 사랑하는 이 바쁘고 평범한 세상 속에 살고 있습니다. 또한 다양한 배경(국가, 언어 인종)을 가진 많은 남녀가 저와 함께 예수님을 따르고 있습니다. 이들은 각자의 직업 안에서 살고 있습니다. 그들의 대부분은 결혼을 했고, 미혼인

이들도 많습니다. 이들은 동료 시민들과 함께 이 세상을 더욱 인간적이고 더욱 공정하게 만드는 중요한 일에 참여하고 있습니다.

이들은 한 사회 안에서 의무를 지키고 시민의 권리를 행사하면서, 책임의식을 갖고 동료들과 협력하여 일하며 매일의 숭고한 투쟁에서 동료들과 성공 및 실패를 함께하고 있습니다. 이들은 이 모든 것을 자연스럽게, 여느 성실한 신자들처럼, 엘리트 정신없이 해냅니다. 이들은 동료들에게 섞여 살면서 동시에 매일의 현실에서 가장 일상적인 일들에 나타나는 고귀한 하느님의 빛을 찾으려 하고 있는 것입니다.

또한 오푸스데이가 단체로서 장려하고 있는 일들도 이처럼 매우 현세적인 특징을 가질 수밖에 없습니다. 오푸스데이의 활동들은 교회의 공적인 사업이 아닙니다. 교회의 어떤 계층을 누리는 것도 아닙니다. 오푸스데이의 사업들은 복음의 빛에 자신을 비추어 보고자 하고, 자신 안에 그리스도의 사랑이 불타오르게 하려는 시민들이 행하는 인간적, 문화적, 사회적 활동들입니다. 일례로 오푸스데이에서는 "성령께서 양 떼의 감독으로 세우"신 [29] 주교님들께서 미래의 사제들을 준비시키는 교구 신학교를 운영하지 않는다는 사실이 이를 분명하게 보여 줍니다.

현저하게 세속적

이에 반하여, 오푸스데이는 전 세계에서 산업 노동자들을 위한 기술 교육원, 농민들을 위한 농업 기술 교육원, 각급 학교 교육을 위한 센터들을 세우고 그 밖의 다양한 활동들을 장려하고 있습니다. 제가 수 년 전에 쓴 바와 같이 오푸스데이의 사도직에 대한 열의는 끝이 보이지 않는 바다와 같기 때문입니다.

---

[29] 사도 20,28.

하지만, 여러분의 참석이 긴 강연보다 더 설득력이 크기 때문에 제가 이에 대해 더 말씀을 드리지 않아도 되겠습니다. 나바라 대학교의 친구인 바로 여러분이 자신이 속한 사회의 발전에 전념하는 국민들의 한 부분입니다. 여러분들의 애정 어린 격려, 기도, 희생, 공헌은 가톨릭 분파주의로 하는 것이 아닙니다. 여러분들의 협력은 바르게 형성된 시민적 양심의 명백한 증거이며, 이 시민 의식은 일반적인 속세적 공익과 관련이 있습니다. 여러분은 한 대학교가 시민들의 힘으로 생겨날 수 있고, 또 시민들에 의해 유지될 수 있다는 사실의 목격자인 것입니다.

이 기회에 나바라 대학교에 많은 도움을 주시는 분들께 다시 한번 감사를 드리고 싶습니다. 팜플로나시와 나바라 지방 관계자 여러분, 스페인 전역에 계신 나바라 대학교의 친구들께 감사드립니다. 특별히 외국인 분들, 또 가톨릭 신자나 그리스도교 신자가 아니시면서 이 사업의 의도와 정신을 이해해 주시고, 그것을 행동으로써 보여 주신 분들께 더욱 감사드립니다. 이 모든 분들 덕분에 나바라 대학교는 시민의 자유, 지성의 준비, 직업적 발전의 장으로서 날로 성장하고 있으며, 대학 교육을 장려하는 불씨가 되었습니다.

여러분의 후한 희생이 인간적 학문, 사회 복지, 신앙 교육의 발전을 추구하는 이 사업의 기초입니다.

제가 방금 말씀드린 이것을 나바라의 시민들이든 분명하게 이해하셨고, 또한 이 대학교가 이 지역에서 경제적으로도 많은 도움이 되고, 특히 이곳의 자녀들에게 그동안은 어렵거나 때로는 불가능했던 지적 분야의 직업을 가질 수 있는 기회를 제공하여 지역사회 발전에 이바지한다는 점을 인식하셨습니다. 이처럼 우리 대학이 그분들의 삶에 어떤 역할을 할 것인지를 이해하셨기에 나바라 지방에서는 처음부터 우리 대학을 후원해 주셨고, 점점 더 열성적으로 많은 지지를 보내 주고 있습니다.

나바라 대학교를 운영하는 일은 사익을 추구하는 것이 아니라, 반대로 온전히 사회적 봉사에 전념하는 사업입니다. 또 이 나라의 현재와 미래의 번영을 위하여 효과적으로 일하고자 하는 사업입니다. 저는 언젠가 스페인 정부가 이 사업의 짐을 덜어주기 위해 무언가 기여하는 때가 오리라는 희망을 계속해서 품고 있습니다. 그렇게 하는 것이 정의에도 부합하고, 이미 다른 나라에서는 그런 일이 일어나고 있기 때문입니다.

귀족적인 인간애

그리고, 여러분, 지금 이제 제가 소중히 여기는, 일상생활에의 따른 또 다른 차원부분에 대해서도 말씀드리고 싶습니다. 바로 인간적인 사랑입니다. 한 남자와 한 여자 간의 숭고한 순결한 사랑, 즉 연인애인들과 부부들의 사랑에 대한 말씀입니다. 이 거룩한 인간적 사랑은 단지 진실된 영적 활동과 함께여야만 허가되거나 용인되는 것이 아닙니다. 제가 전에 언급했던 잘못된 영성에 의해 그렇게 생각될 수 있지만 말입니다. 저는 40년 동안 말과 글을 통해 이와 정 반대되는 것을 가르쳐 왔고, 이제는 전에 이해하지 못했던 이들도 이 사실을 깨닫기 시작했습니다.

바로 혼인과 가정으로 이끄는 사랑 또한 아름답고 거룩한 길이요 성소이며, 하느님께 자신을 온전히 봉헌하는 길입니다. 인간적 사랑으로 둘러싸인 활기찬 영역에서 제가 말씀드린 것들, 곧 완전한 정신으로 일하기, 매일 작은 일에 사랑을 불어넣기, 사소한 일에 숨어 있는 "거룩한 것"을 발견하기가 특별히 잘 이루어질 수 있습니다.

나바라 대학교의 교수, 학생, 교직원 여러분 모두가 아시듯이 저는 여러분의 사랑을 아름다운 사랑의 어머니, 성모 마리아께 바쳤습니다. 그리고 이 캠퍼스에는 우리가 기도하며 지은 경당이 있습니다. 그곳에서 여러분은 성모님께 기도하실 수도 있고, 성모님이 축복하실 여러분의 놀랍고도 순수한 사랑을 바칠 수도 있을 것입니다.

"여러분의 몸이 여러분 안에 계시는 성령의 성전임을 모릅니까? 그 성령을 여러분이 하느님에게서 받았고, 또 여러분은 여러분 자신의 것이 아님을 모릅니까?" [30] 여러분은 아름다운 사랑의 어머니, 복되신 동정녀의 성상 앞에서 사도 바오로의 이러한 물음에 얼마나 자주 기쁨에 찬 확언으로써 답하시겠습니까! 예! 그것을 알고 있고, 당신의 강한 도우심으로 그것을 살고자 합니다. 천주의 성모 동정 마리아님!

매번 이 감명 깊은 사실을 곰곰이 생각하실 때마다 여러분의 마음 안에서 묵상 기도가 나올 것입니다. '나의 몸처럼 물질적인 곳이 성령께서 머무실 장소로 선택받았다. 나는 더 이상 나 자신의 것이 아니다. 나의 몸과 영혼, 나의 모든

---

[30] 1 코린 6,19

것이 하느님의 것이다.' 그리고 이러한 기도는 사도 바오로가 제안한 위대한 결과로부터 파생된 여러 실제적인 결과들을 풍성하게 만들어낼 것입니다. "그러니 여러분의 몸으로 하느님을 영광스럽게 하십시오."[31]

또 한편으로, 우리가 방금 인간적 사랑에 대해 생각해 본 바를 깊게 이해하고, 그것을 중요하게 생각하는 사람들만이 예수님께서 독신에 관하여 하신 말씀을 소중히 여길 수 있다는 것을 여러분도 이해하실 겁니다.[32] 독신은 세속적인 사랑의 중재 없이 일치된 마음으로 자신의 육체와 영혼을 바칠 수 있도록 해 주는 하느님의 온전한 선물입니다.

---

[31] 1 코린 6,20.

[32] 마태 19,11 참조.

일상생활에서 거룩함

이제 마쳐야겠습니다. 처음에 제가 하느님의 위대함과 자비에 대해 말씀드릴 거라고 했습니다. 일상생활을 거룩하게 살라는 말씀을 해드렸으니 이에 응했다고 생각합니다. 세상 한가운데에서의 거룩한 삶, 소리를 내지 않고 소박하고 진실하게 사는 삶. 이러한 삶이야말로 오늘날 하느님의 "위대하신 권능"과[33] 그분께서 늘 보여 주셨던 놀라운 자비의 가장 생생한 표현이 아니겠습니까? 또한 이 세상을 구원하기 위해 그쳐서는 안 되는 삶의 형태가 아니겠습니까?

이제 시편으로 드리는 저의 기도와 찬미에 여러분도 함께하시기를 바랍니다. "너희는 나와 함께 주님을 칭송하여라. 우리 다 함께 그분

---

[33] 집회 18,5.

이름을 높이 기리자."[34] 하느님께 사랑받는 여러분, 다시 말하자면, 믿음으로 삽시다.

조금 전 말씀 전례에서 들은 독서인 에페소 신자들에게 보낸 서간에서 성 바오로가 말씀하셨듯이[35] 믿음의 방패를 잡고, 구원의 투구를 받아쓰고, 성령의 칼을 받아 쥡시다. 성령의 칼은 하느님의 말씀입니다.

믿음은 우리 그리스도인들에게는 매우 필요한 덕입니다. 특별히 올해는 사랑하올 바오로 6세 교황 성하께서 선포하신 "신앙의 해"입니다. 믿음이 없으면 일상생활에서 거룩함을 찾을 기반이 없어집니다.

---

[34] 시편 34,4.

[35] 에페 6,11-17 참조.

지금 이 순간 살아 있는 믿음이 필요합니다. 우리는 지금 "믿음의 신비"인[36] 거룩한 성체성사에 가까이 가고 있기 때문입니다. 또 우리가 지금 인간에 대한 하느님의 자비를 압축해서 보여 주는 것이며, 그 자비를 실행하는 우리 주님의 파스카에 참여하려고 하기 때문입니다.

자녀 여러분, 잠시 후 이 제대 위에서 우리의 구원 사업이 갱신될 것임을 깨닫기 위해 믿음이 필요합니다. 또 신경을 음미하기 위하여, 이 제대 위에서와 이 미사 안에서 그리스도의 현존을 체험하기 위하여 믿음이 필요합니다. 그리스도께서는 우리를 "한마음 한뜻"이[37] 되게 하여 주시고, 한 가족이 되게 하여 주십니다. 또한 우리를 하나이고 거룩하고 보편되며 사도로부터 이어오는 교회, 곧 우리에게는 보편적이라는 것과

---

[36] 1 티모 3,9.

[37] 사도 4,32.

같은 의미인 로마 가톨릭교회에 속하게 하여 주십니다.

마지막으로, 사랑하는 여러분, 거룩한 일상생활이라는 증언을 온 인류에게 보여줌으로써, 이 모든 것이 그저 의식과 말에서 끝나는 것이 아니라 거룩한 현실이라는 것을 세상에 보여 주기 위하여 믿음이 필요합니다.

성부와 성자와 성령의 이름으로.
성모님의 이름으로 빕니다. 아멘.

* * *